C0-AAW-421

Lili B Brown MYSTÈRE

Un voleur à l'école

TOME 5

Texte : Sally Rippin
Illustrations : Aki Fukuoka
Traduction : Geneviève Rouleau

 Héritage jeunesse

Chapitre un

Lundi matin. Lili et
ses amis sont assis dans
la classe en silence. Tout le
monde regarde attentivement
monsieur Benetto, dont
le visage est aussi sombre
qu'un nuage orageux.

Il vient de leur annoncer
une terrible nouvelle.

Quelque chose a disparu
du bureau de la directrice.
Et madame Nguyen
a des raisons de croire
que quelqu'un de l'école
est responsable du méfait !

«C'est très sérieux»,
dit monsieur Benetto, dont
le visage, habituellement

souriant, est crispé
et renfrogné.

«Madame Nguyen est
très inquiète, mais elle espère
que le ou la responsable
admettra sa faute.»
Lili entend ses camarades
chuchoter et **remuer**
autour d'elle, en roulant
des yeux.

Le vol aurait-il été commis
par quelqu'un de cette classe?
se demande-t-elle.

Elle trouve difficile de
réprimer son **enthousiasme**.
S'il s'agit effectivement
d'une très mauvaise nouvelle,
cela signifie tout de même
qu'il y a peut-être un autre
mystère à percer.

Est-ce que le Club Secret
Énigmes et Mystères pourrait
venir à la rescousse ?
Ce mystère est peut-être
le plus sérieux à ce jour !

Elle jette un coup d'œil
à Thomas, mais les yeux
de celui-ci sont fixés
sur le visage fermé
de monsieur Benetto.

Même si Lili souhaite,
bien sûr, que la personne
responsable avoue son crime
d'ici la fin de la journée,
une partie d'elle-même
espère secrètement que cela
n'arrivera pas. Elle aimerait
beaucoup faire une enquête
et trouver le coupable,
avec l'aide du CSÉM.

«Bien, maintenant»,
dit monsieur Benetto,

éclaircissant sa voix pour
reprendre son ton habituel.
Assez de mauvaises nouvelles.
Travaillons sur nos projets
de géographie.»

Comme d'habitude, tout
le monde commence à
discuter et à circuler autour
de la classe. Pour continuer
leur projet, les élèves prennent
des ciseaux, des bâtons
de colle et des pots remplis

de crayons de couleur
sur les chariots disposés
le long du mur du fond.

Mais Lili ne cesse de penser
à ce que monsieur Benetto
a annoncé. Elle s'approche
de Thomas. « Qu'en dis-tu ?
chuchote-t-elle. C'est notre
prochain mystère ? »

Thomas hausse les épaules.
« Je ne sais pas, Lili. Tout

rentrera probablement
dans l'ordre d'ici la fin
de la journée. Quelqu'un
avouera, j'en suis certain.»

«Tu as raison, répond Lili,
en hochant de la tête.
C'est ce qui pourrait arriver
de mieux.»

Mais, à l'insu de Thomas,
elle croise les doigts derrière
son dos. Elle ne peut

s'empêcher d'espérer que
ce sera le CSÉM qui trouvera
le ou la coupable.

Toute la journée,
Lili surprend les gens
en train de parler du vol.
C'est l'événement le plus
passionnant des derniers
mois !

« Qu'est-ce qu'on a volé ? »

« Penses-tu que quelqu'un
va avouer ? »

« À ton avis, qui a bien pu
faire ça ? »

La journée s'achève quand
Madame Nguyen convoque
toute l'école à une réunion,
juste avant que la cloche
sonne. Un murmure se fait
entendre parmi les élèves,

comme un bruissement
de feuilles agitées par la brise.

Tout le monde se demande
si la personne responsable
s'est rendue — surtout Lili.
Elle saura alors si le CSÉM
a une autre énigme
à résoudre !

Chapitre deux

«Comme vous le savez,
dit madame Nguyen,
quelque chose a été dérobé
dans mon bureau vendredi
dernier, dans l'après-midi, et
je suis très déçue de constater
qu'on ne me l'a pas rendu.»

Les élèves murmurent.

Madame Nguyen lève la
main pour imposer le silence.

Lou, la capitaine de l'école,
lève sa main. «Madame
Nguyen, pourriez-vous nous
dire ce qui a été volé?»
demande-t-elle.

Tout le monde la regarde.
Elle a beau être capitaine

de l'école, il faut vraiment
beaucoup de courage pour
poser une telle question.
Madame Nguyen fait
une pause avant de
poursuivre. Madame Nguyen
ne parle jamais inutilement.

«C'était de l'argent de la petite
caisse, Lou, explique-t-elle.
Madame Lapointe, de
la réception, comptait l'argent
dans mon bureau. Elle est

partie un moment aider
quelqu'un à l'infirmerie et,
à son retour, quelqu'un avait
pris un billet de cinquante
dollars dans la boîte. »

La **stupéfaction** se lit sur
les visages des élèves. Même
les plus petits de la première
année restent bouche bée,
les yeux écarquillés.
Voler de l'argent ! pense Lili.
C'est très grave !

«Je garde espoir que la personne qui a dérobé cet argent le rapportera à mon bureau, conclut madame Nguyen. Je suis très triste que l'un de nos élèves ait fait une chose pareille. Allons. C'est tout pour l'instant. Vous pouvez partir.»

Les élèves sortent lentement de la grande salle, commentant bruyamment ce qui vient de se produire. Ils courent pour

enfourcher leur vélo
ou rejoindre leurs parents
au terrain de jeu.

Lili et Thomas retrouvent
Mika et Alex dans la foule.

« Alors, qu'en pensez-vous ? »
demande Lili.

« C'est affreux ! dit Mika, en
hochant la tête. Imaginez…
voler de l'argent ! »

«Non, je ne parle pas de ça.
Pensez-vous que cela soit
une mission pour le
CSÉM?» insiste Lili.

Alex plisse les yeux.
«Pas question, Lili.
Nos enquêtes sont comme
un jeu. Dans ce cas-ci,
c'est très sérieux. As-tu vu
à quel point madame
Nguyen était fâchée?»

«Un "jeu"?» **lance** Lili, le souffle coupé. Elle n'en croit pas ses oreilles. «C'est vraiment comme ça que tu considères ce que nous faisons? Comme un jeu? Eh bien, je pense au contraire que le Club Secret Énigmes et Mystères est très sérieux. Combien de mystères avons-nous percés?»

«Des opossums voleurs?
réplique Alex. Des codes
écrits par nos parents? Des
sorcières qui n'en sont pas?»
Il roule des yeux en direction
de Mika. «Sans oublier
les criminels qui mettent
des feuilles dans
des sandwiches.»

Lili soupire. Les mots d'Alex
sont comme des flèches.
Sa tête **tourne** sous l'effet

de la colère. «Est-ce vraiment ce que tu penses du CSÉM? demande-t-elle, incrédule. Dans ce cas, je ne sais pas pourquoi tu continues de passer du temps avec nous, Alex. Si tu crois que le club est trop bébé, tu devrais probablement t'en aller.»

«C'est peut-être ce que je vais faire», répond Alex, en toisant Lili.

« C'est peut-être ce que
tu devrais faire », lui lance Lili,
du tac au tac.

« Lili, proteste Mika,
tu ne le penses pas vraiment ! »
Elle met la main sur le bras
de Lili, mais celle-ci
se retourne et se dirige
en **tempêtant** vers les portes
de l'école, Thomas
sur les talons.

Chapitre trois

« Comme il est stupide ! »
fulmine Lili, sur le trajet
du retour à la maison
en compagnie de Thomas.
« Nous n'avons pas besoin
de lui, de toute façon.

Le CSÉM ne s'en portera
que mieux.»

Thomas se mord les joues
avec nervosité. Lili voit bien
qu'il ne sait pas quoi dire.

D'un grand coup de pied, elle
lance un caillou dans la rue.

«Il y a peut-être du vrai
dans ce que dit Alex, Lili»
reconnaît Thomas.

«Voler de l'argent est
un crime grave. Peut-être
serait-il préférable de ne pas
nous en occuper.»

Lili s'arrête et se retourne
pour faire face à Thomas.
«Tu prends pour lui?»
le défie-t-elle.

«Non! se défend Thomas,
le visage grave. Je suis
ton meilleur ami, n'est-ce

pas ? Nous devons nous épauler. »

« Désolée », dit Lili. C'est vrai qu'il l'appuie toujours, peu importent les circonstances. Elle sourit avec gratitude. « Merci, Thomas. » Arrivée devant chez elle, Lili demande à Thomas : « Veux-tu entrer ? Papa a fait du pain aux bananes, hier. Nous pourrions en manger

un morceau et voir si on peut
percer l'énigme et découvrir
qui a volé l'argent. »

Le visage de Thomas
s'assombrit. «Peut-être plus
tard, dit-il. Je dois d'abord
faire mes devoirs. »

Lili acquiesce de la tête,
comme si elle s'en moquait.
Mais elle sait que Thomas
ne veut plus parler de

ce mystère. Elle ressent comme une petite **blessure** dans sa poitrine.

Aussitôt entrée, elle lance son sac d'école au pied des escaliers, prend un morceau de pain aux bananes et file au pas de course vers la cabane nichée dans l'arbre.

Je vais leur montrer ! pense-t-elle. *Je vais leur montrer que*

je peux résoudre des mystères
sérieux, toute seule.

Lili fait une pile de coussins
et sort son petit carnet
de notes secret de sa cachette.
Elle le range toujours dans
un trou du tronc de l'arbre.

Elle s'installe avec son crayon
et son calepin pour écrire
tout ce qu'elle sait au sujet
de l'événement.

Mystère secret numéro 5

Le crime : de l'argent a été
volé dans le bureau
de madame Nguyen

Quand : vendredi dernier,
dans l'après-midi

Suspects : tous les éleves
de l'école !

Lili biffe la dernière phrase.

Ça fait beaucoup trop de monde,
pense-t-elle. *Je dois trouver*
une façon de réduire
le nombre de suspects.

Quel genre de personne
pourrait voler de l'argent ?
se demande-t-elle.

Elle aimerait tellement que
Mika et Thomas soient là
pour l'aider. Même Alex. S'il
peut parfois être assommant,

il n'en demeure pas moins
qu'il est très perspicace
pour trouver des indices.

Lili soupire. Cela ne rime
à rien. Le travail de détective
n'est vraiment pas agréable
lorsqu'on est seul.

Elle referme son carnet
de notes, le verrouille avec
sa toute petite clé et le replace
dans le trou de l'arbre.

Elle saute ensuite en bas
et **regagne** la maison
d'un pas lourd.

Chapitre quatre

Le lendemain matin, comme d'habitude, Lili et Thomas marchent ensemble pour se rendre à l'école. Ils s'installent pour attendre Mika et Alex sous le grand arbre. Ils attendent, attendent

et attendent encore, jusqu'à
ce que la cloche sonne.
Lili et Thomas cherchent
leurs amis, perplexes.

Si Mika est souvent en retard,
ce n'est pas le cas d'Alex, qui
arrive généralement en même
temps que Lili et Thomas.

Celui-ci fronce les sourcils.
«Il est peut-être malade?»
avance-t-il.

«Peut-être, répond Lili. Allez.
On ne peut pas attendre
plus longtemps, autrement,
nous allons être en retard
et nous faire disputer par
monsieur Benetto.»

Lili et Thomas entrent
à l'école au pas de course.

Tous les élèves sont dans
leur classe et les corridors
sont déserts et silencieux.

En passant devant le bureau
de madame Nguyen,
ils entendent des voix
derrière la porte.

«Attends!» chuchote Lili, en
saisissant le bras de Thomas.
Elle jette un coup d'œil dans
le corridor pour s'assurer
que personne ne s'y trouve et
colle son oreille sur la porte.
Thomas se mord la lèvre
nerveusement, mais imite Lili.

Ils entendent la voix
de madame Nguyen.
Elle semble **ferme** et **sévère**.

«Enfin, je suis heureuse
que nous ayons récupéré
cet argent, dit-elle, mais
je ne comprends pas
pourquoi tu n'en as pas parlé
hier. Je n'ai aucune idée
de ce qui a pu t'amener
à faire une telle chose.

J'espère que je peux attendre
mieux de toi à l'avenir. »

La personne réprimandée
par madame Nguyen
marmonne quelque chose
en guise de réponse.

Lili ouvre grand les yeux
et murmure à Thomas :
« C'est le voleur ! »

Thomas est bouche bée.
Lili plaque son oreille
sur la porte de nouveau.

« Cela va demeurer entre nous,
continue madame Nguyen,
d'une voix plus douce. Je
pense que tu as été assez puni
sans que tes amis sachent ce
que tu as fait. Je suis certaine
qu'ils seraient très déçus.
C'est bien. Maintenant,
tu peux aller en classe. »

Rapidement, Lili et Thomas
s'écartent de la porte
et cherchent frénétiquement
un endroit où se cacher.
Lili prend la main de Thomas
et le tire vers l'entrée
de la toilette des filles.

Ils se pressent contre le mur,
en retrait. Le cœur de Lili
bat à tout rompre.

Lorsque la porte du bureau de madame Nguyen se referme, ils jettent un coup d'œil dans le corridor et tentent de voir qui est le voleur.

Lili a l'impression qu'elle va exploser d'impatience.
Qui est-ce ? se demande-t-elle.
Qui a volé l'argent ?

Ils regardent l'élève déambuler
dans le corridor, la tête baissée.
C'est un grand garçon mince,
aux cheveux foncés.

Alors que le garçon jette
un coup d'œil au terrain
de jeu, ils peuvent entrevoir
son visage. Puis, il disparaît
en tournant le coin.

Lili serre la main de Thomas.
Elle n'en croit pas ses yeux.

«Mais c'était…?» dit Lili,
médusée.

Thomas acquiesce d'un signe
de tête. «Alex!» ajoute-t-il
pour finir la phrase de Lili.
Ils se regardent, ahuris.

Chapitre cinq

«Alex est le voleur?» dit Lili, alors qu'ils se dirigent rapidement vers la classe.

Thomas hoche la tête, incrédule. «Je ne peux pas le croire! *Alex?*»

Toutes sortes d'émotions
se bousculent dans l'esprit
de Lili : le choc, la surprise et,
enfin, la colère.

« Eh bien, ça explique
beaucoup de choses, dit-elle
en fronçant les sourcils.
Je comprends maintenant
pourquoi il ne voulait pas
que le CSÉM fasse une
enquête. Il avait peur qu'on
découvre que c'était lui ! »

Lili et Thomas s'assoient
à leur bureau au moment
où Mika et Alex entrent
en classe. Heureusement,
monsieur Benetto n'a pas
encore pris les présences.
Il ne remarque donc pas
l'importance de leur retard.

Lili jette un coup d'œil
à Alex au moment où il tire
sa chaise. Il a les yeux rouges
et semble avoir pleuré.

C'est bien fait pour lui!
se dit Lili. *Je ne peux croire
qu'un membre du Club Secret
Énigmes et Mystères soit
un voleur!*

Lili regarde Mika poser
sa main sur l'épaule d'Alex
avant de regagner sa place.

*Attends de savoir ce qu'il a fait,
Mika!* pense Lili.

Tu ne ressentiras plus autant
de peine pour lui !

« Bien, les enfants ! »
lance monsieur Benetto.

« Je voudrais que vous tentiez
de terminer vos projets
de géographie, aujourd'hui.

« Si vous avez déjà fini, vous
pouvez apporter votre aide
à un autre groupe. Vous avez

jusqu'à la récréation
pour les terminer.»

«Je vais chercher les crayons
et le matériel et tu vas
récupérer l'affiche»,
dit Lili à Thomas.

Thomas acquiesce d'un signe
de tête et se dirige
vers l'endroit où se trouve
l'affiche à moitié achevée sur
laquelle il travaille avec Lili.

Lili se rend dans le fond
de la classe pour prendre
des ciseaux, de la colle
et des crayons de couleur.

Lorsqu'elle retourne
à sa place, elle constate
avec surprise que Mika
et Alex l'attendent.

« Nous avons terminé
notre projet, explique Mika,
en souriant, nous pensions

que nous pourrions vous
aider, d'accord?»

Lili regarde Thomas. Il se
ronge un ongle, l'air absent.

«Je ne pense pas,
dit **sèchement** Lili. Nous
pouvons le terminer sans
aide. Merci quand même.»

Mika semble ne pas
comprendre. «Mais il vous

reste encore des tas de choses
à faire et monsieur Benetto
a dit qu'il fallait aider ceux
qui n'avaient pas terminé.»

«Je viens de te dire que
nous n'avons pas besoin
de votre aide», réplique Lili
encore plus fermement.

«Lili! Mais qu'est-ce qui
ne va pas? questionne Mika,
intriguée. Pourquoi agis-tu

comme ça? Je sais que toi
et Alex avez eu une dispute,
mais vous êtes toujours amis,
n'est-ce pas?»

«Le sommes-nous?»
demande Lili en regardant
Alex droit dans les yeux.

«Les amis sont des gens
en qui vous pouvez avoir
confiance. Les amis sont ceux
qui vous appuient en toute

circonstance. D'ailleurs, je pense que tu ne devrais pas être son amie, Mika, si tu veux toujours être membre du CSÉM.»

Alex rougit. Mika ouvre grand les yeux et met ses poings sur ses hanches. Elle ne se fâche pas très souvent, mais quand cela se produit, elle sort vraiment de ses gonds.

«Il ne s'agit pas de notre club, Lili, **fulmine** Mika. Je ne vais pas choisir mon parti. Et si c'est comme ça, je ne veux plus être membre du club!»

Lili la regarde, bouchée bée. Elle ne pensait pas qu'elle défendrait Alex. «Mais Mika, tu es d'abord mon amie, répond-elle, sous le choc. De plus, tu ne sais pas ce qu'Alex a fait…»

«Lili!» lance soudainement
Thomas, si fort que même
monsieur Benetto
s'en aperçoit.

«Les enfants!» menace
monsieur Benetto d'une voix
sévère. Est-ce que vous
parlez de géographie?»

«Non», répond Mika
en entraînant Alex à l'écart
du bureau de Lili. «Alex

et moi avons offert notre aide
à Lili et Thomas, mais
ils n'ont pas besoin de nous. »

« Nous avons besoin d'aide
ici ! » lance Simon en levant
la main.

« Alors, vous savez où aller
maintenant », leur dit
monsieur Benetto.

«Lili, Thomas, au travail.
Je veux voir votre projet
sur mon bureau d'ici
la récréation.»

Lili s'empresse de retourner
à son affiche. Mais lorsqu'elle
lève la tête, elle voit Thomas
qui la regarde fixement
d'un air fâché.

«Quoi?» chuchote-t-elle,
alors qu'elle sent sa gorge

se **nouer**. «C'est lui qui
a tort. Thomas, tu ne vas pas
pencher de son côté aussi,
n'est-ce pas?»

Thomas hoche la tête.
«Non, dit-il. Comme je t'ai
dit, tu es ma meilleure amie.
Mais ce que tu viens
de faire n'est pas bien.
Je pense que personne
ne doit savoir ce qu'a fait

Alex. Madame Nguyen a dit qu'il avait été assez puni. »

Lili fait la moue. Elle sait que Thomas a raison, mais elle est en colère et se sent déroutée. Les choses ne se déroulent pas comme elles le devraient! Alex est celui qui a commis une faute, mais c'est à elle que tous les reproches sont adressés. Ce n'est pas **juste**. Pas juste du tout!

Chapitre six

Lili et Thomas viennent
de terminer leur projet
lorsque la cloche sonne.
Ils restent un peu pour tout
ranger puis sortent en
courant vers le terrain de jeu.

Le soleil brille si haut
dans le ciel que Lili en oublie
presque sa discussion
avec Alex et Mika.

Jusqu'à ce qu'elle voit Mika
assise toute seule sous
le grand arbre. Alex
est absent.

«Viens, lui dit Thomas,
allons voir si elle va bien.»

Lili **hésite**, mais juste
un moment. Puis elle se met
à courir avec Thomas.

Mika regarde Lili et plisse
les yeux.

Mais Lili a déjà prévu
dans sa tête ce qu'elle allait
lui dire. Elle ne veut pas
perdre l'amitié de Mika.

Et elle ne veut surtout pas
dissoudre le Club Secret
Énigmes et Mystères !

«Je suis désolée, Mika,
je n'ai pas été gentille avec
Alex et toi. Mais c'est que…»

«Alex est rentré chez lui,
l'interrompt Mika.
Il ne se sent pas bien.»

«Oh», fait Lili, un peu
inquiète. Même si Alex
est un voleur, elle ne veut pas
que quelque chose de grave
lui arrive. «Qu'est-ce qui
ne va pas?»

«Il sait que tu penses qu'il a
volé l'argent», explique Mika.

Lili regarde Thomas.
Celui-ci a un haussement
d'épaules. «Mais il n'a rien

fait», poursuit Mika,
en fronçant les sourcils.

«Eh bien, commence
lentement Lili, nous avons vu
Alex sortir du bureau
de madame Nguyen.
Et nous avons entendu
la directrice le réprimander
à ce sujet. C'est lui qui
a pris l'argent. C'est certain,
Mika.» Elle regarde Mika,
s'attendant à la voir

horrifiée, mais celle-ci a plutôt l'air fâchée.

«Lili, réplique brusquement Mika, Alex est ton ami. Tu sais bien qu'il ne ferait jamais une telle chose! Ce n'est pas un voleur!»

Lili regarde Thomas, qui fronce les sourcils. «Je suis d'accord avec Mika, Lili, dit Thomas. Alex est ton ami. Il fait partie de notre club. Il ne peut avoir commis une chose pareille.»

Lili est éberluée. «Mais nous l'avons vu sortir du bureau de madame Nguyen! insiste-t-elle. Et nous l'avons entendue le gronder!»

«C'est exact, répond Thomas. Mais il pourrait y avoir une autre explication.

S'il n'a pas pris cet argent lui-même, il connaît peut-être la personne qui l'a fait.»

Lili soupire. «Veux-tu dire qu'il couvrirait quelqu'un?»

Mika et Thomas acquiescent de la tête.

«Ton expérience de détective t'a appris qu'un cas

n'est jamais aussi simple
qu'il ne le paraît»,
fait remarquer Thomas.

Lili a le cœur gros. Elle a été
une très mauvaise amie pour
Alex. Elle le connaît assez
pour savoir que Mika
et Thomas ont raison.

«Vous avez raison,
reconnaît-elle, honteuse.
Alex ne volerait pas d'argent.»

Lili se sent coupable d'avoir douté d'Alex. Elle sait qu'il est bien trop honnête pour voler.

Soudain, cet enchevêtrement d'émotions négatives disparaît. Lili ressent à nouveau une certaine **fébrilité**. «Donc, si Alex n'a rien fait, interroge-t-elle en souriant, qui a volé l'argent?»

«Eh bien, nous sommes encore trois dans le Club Secret Énigmes et Mystères, répond Mika, en souriant à son tour. J'imagine que nous sommes assez nombreux pour résoudre ce mystère.»

Le visage de Lili s'éclaire et Thomas et elle placent leur main sur celle de Mika. Ils crient, tous en chœur, «Cocorico!»

Lili est bien décidée à tirer
les choses au clair. Elle veut,
bien sûr, que le CSÉM perce
le mystère, mais elle souhaite
surtout régler cette situation
malheureuse avec Alex.

C'est à elle de faire
ce qu'il faut.

Chapitre sept

En arrivant chez elle, à la fin
de l'après-midi, Lili sort
une feuille de papier et
ses crayons brillants du tiroir
de son pupitre. Elle plie
le papier en deux et dessine
sur le dessus un drôle

de visage. Elle se met ensuite
à écrire à l'intérieur.

Cher Alex,
Je m'excuse de ne pas avoir été
gentille avec toi et je suis
désolée que tu sois malade.
Guéris vite parce qu'on s'ennuie
de toi, à l'école. Surtout moi.

De Lili

Lili descend avec sa carte
rejoindre sa mère. Elle est
dans le jardin avec Noah,
en train de planter de toutes

petites laitues dans le potager.
Noah fabrique des tartes
à la boue. Il y en a partout!

Noah lève les yeux et fait
un beau sourire à Lili.

«Gâteau au chocolat?»
propose-t-il, en lui présentant
une poignée de boue.

«Non merci!, répond Lili,
amusée. Maman, me

permets-tu d'aller voir Alex,
en bicyclette? demande-t-elle.
Il est rentré chez lui
aujourd'hui parce qu'il ne
se sentait pas bien et
je voudrais lui remettre
une carte.»

«Bien sûr, Lili, lui répond
sa maman. Est-ce que
Thomas t'accompagne?»

Lili regarde par-dessus
la clôture, vers la maison
de Thomas.

«Non. Je pense que je vais
y aller toute seule.»

«D'accord, mais sois rentrée
avant le souper», dit sa mère,
en essuyant une motte de
boue des cheveux de Noah.

«C'est promis!» lance Lili
en enfourchant son vélo
avant de filer.

Lili arrive chez Alex
en un temps record.
La maman d'Alex l'accueille
et la dirige vers la pièce
du fond, où Alex et son petit
frère, Simon, jouent
sur leur PlayStation.

Lili **s'arrête** un instant dans l'embrasure de la porte, nerveuse.

Alex est-il toujours en colère contre moi? se demande-t-elle. Elle prend une grande inspiration. *J'espère qu'il veut toujours être mon ami.*

«Hé, Alex, dit-elle. Je suis seulement venue voir comment tu allais.»

Alex se retourne, surpris
de la voir là. Mais, au lieu
d'être fâché, il semble plutôt
content de la voir.
Très content, en fait.

«Hé! Merci, Lili», répond-il
dans un sourire.

«Allô, Lili!» dit Simon,
le petit frère d'Alex. Il court
pour faire un câlin à Lili.

Simon est à peine plus vieux
que Noah, mais il a
commencé l'école
cette année.

Chaque fois qu'il voit Lili
au terrain de jeu, il court lui
faire un câlin.

«Hé, crapaud!» lance Lili,
comme elle le fait toujours.
Elle le chatouille un peu
et il glousse.

« Allez, viens jouer !
lui suggère Simon. Tu peux
prendre ma place, je suis
en train de gagner ! »

Alex regarde Lili d'un air
entendu signifiant
« c'est parce que je lui laisse
toutes les chances ! »

« D'accord, mais je dois être
à la maison pour le souper »,
dit Lili.

Elle s'assoit près d'Alex et
prend la manette de Simon.

«Tu n'as pas l'air bien
malade», fait-elle remarquer
en tendant à Alex la carte
qu'elle a fabriquée
à son intention. Elle l'observe
alors qu'il lit la carte.

Après avoir lu le petit mot
de Lili, le sourire d'Alex lui
fait comprendre que tout est

arrangé entre eux. «Merci,
Lili», dit-il simplement.
Lili lâche un soupir
de soulagement.

«Mon professeur est malade
aussi! dit Simon. Tout
le monde dans la classe a écrit
une carte, mais moi,
je voulais lui donner
un cadeau. Mais je n'avais pas
assez d'argent, alors j'ai ...»

« Tu lui as fait une belle
carte », l'interrompt Alex
en mettant sa main sur le bras
de son petit frère et
en le regardant droit
dans les yeux.

Simon a un drôle d'air.
Il baisse la tête comme
un chiot qu'on vient
de réprimander.

Un **frisson** traverse le corps
de Lili. Elle pense avoir
l'indice qui lui manquait.
Tout s'**explique**.

Lili joue une autre partie
et retourne chez elle pendant
qu'il fait encore jour.
Elle sourit pendant tout
le trajet. Elle a maintenant
la certitude de connaître
l'identité du voleur !

Chapitre huit

Le lendemain matin,
Lili convoque une réunion
d'urgence du CSÉM sous
le grand arbre, avant le début
de la classe. Pour une fois,
Mika est à l'heure.
Elle et Thomas se

rapprochent et écoutent Lili
attentivement.

«Mais pourquoi Alex n'a-t-il
pas simplement dit à madame
Nguyen que son petit frère
avait pris l'argent?»
demande Thomas.

Lili hausse les épaules.
«Peut-être voulait-il
le protéger. C'est ce que

les grands frères et les grandes
sœurs doivent faire.»

Mika et Thomas se regardent.
Aucun des deux n'a de petit
frère ou de petite sœur.
Ils doivent donc se fier
à la parole de Lili.

«Si c'est le cas, c'est vraiment
très gentil», dit Mika.

Lili acquiesce de la tête.

«Ça l'est. C'est pourquoi
il faut trouver un moyen
de dire à madame Nguyen
qu'Alex n'a rien fait, sans
qu'elle sache que c'est nous.
Après tout, on ne peut lui
avouer que nous écoutions
à sa porte! Mais Alex ne peut
être puni pour une faute
qu'il n'a pas commise,
ce n'est pas juste.»

Thomas est d'accord.

« Lola m'a dit que la petite
sœur de Sarah lui avait dit
que, comme punition,
Alex n'a pas le droit
de participer à la classe
verte. »

« Vraiment ? s'**étonne** Mika.
Mais c'est terrible ! Nous
devons l'aider. Il ne peut pas
manquer le camp ! »

«C'est certain!» lance Lili.

«Alors que fait-on?»
demande Thomas. Lili sourit.
Elle a une idée.

Une super bonne idée.
«Nous allons écrire une lettre
anonyme à madame Nguyen.
Comme ça, elle ne saura
jamais que c'est nous.»

« Bonne idée ! souligne Thomas. Écrivons-la maintenant. Qui a un papier et un crayon ? »

Lili sourit. « Comme toujours ! » dit-elle, en sortant son carnet secret et ses crayons brillants de son sac d'école.

Elle déchire une page du carnet et rédige la note rapidement. Elle tente

de déguiser son écriture,
par mesure de précaution.

Les trois amis se rendent au
bureau de madame Nguyen.
Après s'être assurés que
personne ne les regardait,
ils glissent la note sous
la porte et se dirigent
en courant vers la classe.
Ils gagnent discrètement
leur place juste avant
que la cloche sonne.

Alex est déjà assis et Lili
le salue de la main. Il sourit
et lui renvoie ses salutations.
Lili est contente qu'ils soient
toujours amis.

Chapitre neuf

Ce matin-là, la classe de Lili a un examen de mathématiques et un test de grammaire. Lili et ses amis sont trop occupés pour discuter de la note, mais Lili n'a pas cessé d'y penser.

Elle espère de tout cœur
que cela va permettre
d'arranger les choses.

Lili regarde l'horloge.
Enfin ! C'est presque l'heure
de la récréation.

Mais, une minute avant
la cloche, une annonce se fait
entendre par le haut-parleur.
«Les quatre élèves suivants
sont priés de se rendre

au bureau de madame
Nguyen, à la récréation :
Lili, Thomas, Mika et Alex. »

Lili regarde ses amis avec
de grands yeux. Ils lui
renvoient son regard,
aussi effrayés qu'elle. Alex est
celui qui se sent le plus mal.

La cloche sonne et tout
le monde regarde les quatre
amis ranger leurs choses et

sortir de la classe. Lili entend des chuchotements sur son passage. Seules les personnes qui ont de **graves ennuis** sont convoquées au bureau de la directrice!

Ils marchent lentement dans le corridor, trop inquiets pour se parler. Arrivés au bureau de madame Nguyen, ils s'arrêtent devant sa porte. Thomas, Mika et Alex regardent Lili.

Tout est de ma faute!
pense-t-elle. Elle inspire
profondément et frappe à
la porte. *Dans quel pétrin ai-je
entraîné mes amis, cette fois?*

«Entrez!» lance madame
Nguyen.

Lili ouvre la porte. Quatre
chaises sont disposées devant
le bureau de madame
Nguyen. Ils s'assoient. Lili

voit tout de suite sa note
sur le bureau de madame
Nguyen et sa gorge se **noue**.

Madame Nguyen prend
le papier.

« Est-ce que l'un d'entre vous
pourrait me dire de quoi
il s'agit ? » demande-t-elle,
en haussant un sourcil.

Thomas et Mika regardent
Lili. Alex ne comprend pas.
Lili prend de nouveau
une grande inspiration.
Il faut dire la vérité.

« Nous avons découvert
que vous pensiez qu'Alex
avait dérobé l'argent
de la petite caisse,
commence-t-elle. Mais
nous avons aussi appris
que ce n'était pas lui. »

Elle se tourne vers Alex
en s'excusant. Il affiche
un drôle d'air.

«Nous pensons qu'il veut
couvrir son petit frère,
poursuit-elle. Nous ne
voulions pas qu'il soit puni
pour une faute qu'il n'a pas
commise et qu'il soit privé
de classe verte. Ce serait
vraiment dommage!
Mais nous ne voulions pas

non plus qu'il sache que nous
étions au courant…» Lili
finit par marmonner. Elle sait
à quel point son explication
manque de clarté.

«Lili!» dit Alex, contrarié.

«Ce n'était pas seulement
l'idée de Lili! s'exclame
Thomas, en prenant
sa défense. Mika et moi
avons participé aussi!»

Lili sent la main de Mika
sur son épaule et un grand
sentiment de gratitude
l'envahit.

Mes amis sont les meilleurs !
pense-t-elle.

Lorsque Lili lève les yeux,
elle constate avec surprise
qu'un petit sourire se dessine
sur le visage de madame
Nguyen.

«Eh bien. Vous faites
vraiment une bonne équipe,
n'est-ce pas?, dit-elle.
Alex, tu as pris la défense
de ton petit frère, Lili,
tu as pris la défense d'Alex,
et Mika et Thomas avez pris
la défense de Lili. Je suis
très contente de voir
des élèves défendre les causes
auxquelles ils croient.»

Lili et ses amis prennent un moment de silence pour bien saisir ce que madame Nguyen vient de dire.

«C'est vrai? demande enfin Lili. Nous n'aurons pas d'ennuis?»

Madame Nguyen le confirme, d'un signe de tête.

«Et Simon?» demande Alex, avec inquiétude.

«Eh bien, Alex, je vais devoir
parler à ton jeune frère
de ce qu'il a fait, explique
madame Nguyen. Je sais
qu'il est petit, mais il doit
comprendre que ce
qu'il a fait était très mal.»

«Il voulait acheter un cadeau
à son professeur! explique
Alex. Il m'a demandé
de lui prêter des sous.
J'aurais dû accepter.

«Il n'aurait alors pas pris l'argent dans votre bureau, soupire Alex. Il n'a pas compris qu'il s'agissait d'un vol, Madame Nguyen. Il a simplement dit que l'argent était là et qu'il y en avait beaucoup d'autre dans la boîte. Il n'a même pas pensé que quelqu'un s'en apercevrait.»

«Mais il comprend,
maintenant?» demande
madame Nguyen.

Alex acquiesce de la tête.
«Je lui ai tout expliqué.
Il regrette amèrement.»

«Tu es un bon grand frère,
souligne madame Nguyen.
Et vous quatre faites
une bonne équipe.
Vous n'êtes pas seulement

les meilleurs amis, mais aussi
les meilleurs détectives,
je pense, n'est-ce pas?»

Lili regarde madame
Nguyen, surprise. «Mais…
comment avez-vous
deviné…?» finit-elle par dire,
dans un balbutiement.

Madame Nguyen sourit. «À
votre âge, j'étais moi-même
un peu détective et je n'ai

pas perdu mes aptitudes.
Je sais, par exemple, que tu as
un ensemble de crayons
brillants, Lili, ainsi qu'un
tout petit carnet de notes.

Ce petit mot a été écrit
sur une feuille minuscule,
à l'aide d'un crayon brillant.
Et, au verso, se trouvent
quelques notes sur la dernière
enquête du Club Secret
Énigmes et Mystères.»

Lili est médusée.

Elle était si pressée d'écrire
la note qu'elle a oublié de
prendre une nouvelle page !

Madame Nguyen se met
à rire. «Tout va bien, dit-elle,
en souriant. Je ne dirai
votre secret à personne.

«En fait, votre club est,
en partie, la raison pour

laquelle je vous ai fait venir
à mon bureau, aujourd'hui.
Je me demandais si vous
accepteriez que je vous
confie une nouvelle
mission. »

Lili regarde les autres,
qui sont aussi surpris qu'elle.

Elle sourit. « Bien sûr !
De quoi s'agit-il ? »

«Voici, dit madame Nguyen, en se rapprochant et en baissant le ton, j'ai appris qu'il y a une capsule temporelle cachée quelque part dans l'école.»

Lili déglutit.

Madame Nguyen sourit et continue. «Elle doit bien avoir une centaine d'années maintenant, presque autant

que l'école. Mais les plans
d'origine ont été perdus
il y a bien longtemps.
J'ai toujours voulu trouver
ce coffret, mais je suis trop
occupée. Qu'en dites-vous?
Seriez-vous prêts à percer
ce mystère?»

Lili voudrait **sauter** de joie.

Elle n'a pas besoin de jeter
un coup d'œil à ses amis

pour savoir qu'ils ressentent
la même chose qu'elle.

«Cela nous ferait vraiment
plaisir! répond-elle.
N'est-ce pas?» Elle se tourne
vers Thomas, Mika et Alex,
qui acquiescent avec
enthousiasme.

«Merveilleux! dit madame
Nguyen. Mais cela reste
entre nous, d'accord?

Je voudrais faire une surprise au reste de l'école, une fois le coffret retrouvé.»

«Bien sûr! dit Lili, d'un ton sérieux. Nous nous mettons au travail dès maintenant.»

Elle regarde les autres. Alex, Mika et Thomas sont tous aussi heureux qu'elle. Le Club Secret Énigmes et Mystères est

de nouveau sur les rails.
Mais cette fois, il doit
résoudre un vrai problème,
un mystère inexpliqué,
un mystère d'**adulte**.
Lili veut commencer le plus
tôt possible !

Ā suivre...

Catalogage avant publication
de Bibliothèque et Archives nationales
du Québec et Bibliothèque
et Archives Canada

Rippin, Sally

Un voleur à l'école
(Lili B Brown ; Mystère)
Traduction de : Stolen Stash.
Pour enfants de 6 ans et plus.

ISBN 978-2-7625-9634-2

I. Fukuoka, Aki, 1982- .
II. Rouleau, Geneviève, 1960- . III. Titre.
IV. Rippin, Sally. Lili B Brown.

PZ23.R56Fi 2013 j823'.914
C2013-942885-X

Tous droits réservés. Aucune partie
de cette publication ne peut être reproduite
ou mise à disposition dans une base de données
sans la permission écrite de l'éditeur ou,
en cas de photocopie ou autre reproduction,
sans une licence de COPIBEC (Société
québécoise de gestion collective des droits de
reproduction) qui peut être obtenue à l'adresse
Internet www.copibec.qc.ca,
ou en téléphonant au 1 800 717-2022.

Titre original : Billie B Brown
Un voleur à l'école (Stolen Stash)
publié avec la permission de Hardie
Grant Egmont

Texte © 2014 Sally Rippin
Illustrations de la couverture
© 2014 Aki Fukuoka
Logo, concept et illustrations intérieures
© Hardie Grant Egmont
Illustrations intérieures de Jon Davis, basées
sur le personnage original de Aki Fukuoka
Conception et design de Stephanie Spartels
Le droit moral des auteurs
est ici reconnu et exprimé.

Version française
© Les Éditions Héritage inc. 2015
Traduction de Geneviève Rouleau
Révision de Françoise Robert
Graphisme de Nancy Jacques

Droits et permissions :
barbara.creary@dominiqueetcompagnie.com
Service aux collectivités : espacepedagogique
@dominiqueetcompagnie.com
Service aux lecteurs :
serviceclient@editionsheritage.com

Dépôt légal : 3e trimestre 2015
Bibliothèque et Archives
nationales du Québec
Bibliothèque et Archives Canada

Les Éditions Héritage
1101, av. Victoria, Saint-Lambert (Québec)
Canada J4R 1P8
Téléphone : 514 875-0327
Télécopieur : 450 672-5448
information@editionsheritage.com

Imprimé au Canada

Nous reconnaissons l'aide financière
du gouvernement du Canada par l'entremise
du Fonds du livre du Canada.

Nous reconnaissons l'aide financière
du gouvernement du Québec par
l'entremise du Programme de crédit
d'impôt – SODEC – Programme
d'aide à l'édition de livres.

Nous remercions le Conseil des arts
du Canada de l'aide accordée
à notre programme de publication.